사이좋은 동물원

글, 그림 ● 안나 마리아 쿠르티
Anna Maria Curti

작은 마을의 일요일입니다.
동물원은 바쁘고도 활기가 넘칩니다.
동물들은 서로 사이좋게 지냅니다.

"짚을 많이 넣어 주어야지.
이제 곧 추운 겨울이 올 테니까."
동물들을 돌보는 로마노 할아버지와
조루조는 열심히 일합니다.
동물들이 편안하게 지낼 수 있게 말입니다.
겨울이 닥쳐 와도 어려움이 없도록 말이죠.

4

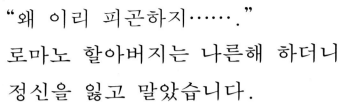

"왜 이리 피곤하지……."
로마노 할아버지는 나른해 하더니
정신을 잃고 말았습니다.
"어떻게 된 거예요? 로마노 할아버지, 정신차리세요."
강아지 코코가 소리쳤지만 로마노 할아버지는 눈을
감고 얼굴을 찌푸린 채 움직이질 않습니다.

"큰일났어, 로마노 할아버지가 쓰러지셨어.
어떡하지 ? 어쩌면 좋지 ?"
코코는 얼룩말에게 달려갑니다.
"낮잠이나 자고 있을 때가 아니라고."
코끼리가 얼룩말에게 물줄기를 뿜어서 끼얹었습니다.

"어떡하면 좋지? 응? 어떡하지?"
"염소와 의논해 보자.
좋은 생각이 있을지도 몰라."

"로마노 할아버지가 쓰러지셨어. 어떡하면 좋지?"
"글쎄 모르겠어. 비버에게 의논해 보자.
무언가 가르쳐 줄지도 모르잖아."

"로마노 할아버지가 쓰러지셨어.
어떡하면 좋지?"
"음, 우리들도 모르겠어.
기린한테 의논해 보렴.
좋은 수가 있을지도 모르잖아."

"로마노 할아버지가 쓰러지셨어.
어떡하면 좋지?"
"글쎄다, 나도 알 수가 없구나.
앵무새한테 의논해 보자.
앵무새는 사람의 말을 잘 알잖아."

"앵무새님, 어떡하지요, 어떡하면 좋지요?"
로마노 할아버지는 여전히 쓰러져 계십니다.
앵무새는 골똘히 생각합니다.
"그렇지, 조루조한테 알려야 해.
자, 서둘러. 빨리빨리!"

"큰일났어요, 조루조.
로마노 할아버지가 쓰러지셨어요. 도와 줘요."
코코와 앵무새는 큰 소리로 외쳤습니다.

조루조는 로마노 할아버지를 일으켜서
병원으로 모시고 갔습니다.
"괜찮아. 일을 너무 많이 하신 것 같구나.
잠시 쉬면 괜찮아지실 거야."

조루조와 코코 그리고 앵무새가
할아버지를 뵈러 왔습니다.
병원에 가지 못한
나머지 동물들은 기도를 합니다.
"로마노 할아버지께서
빨리 건강해지시기를……."

"모두 고맙구나."
로마노 할아버지는 다시 건강하게
일할 수 있게 되었습니다.
"다시 뵙게 되어
정말 다행이에요."

WORLD PICTURE BOOK

사이좋은 동물원

어린이 여러분께

　자연 파괴는 이제 전 세계의 문제가 되었습니다. 사람 수가 늘면 늘수록 동물이
나 식물은 줄어 듭니다. 저희 나라 이탈리아에서도 사람이 동물과 친해지는 기회
가 점점 없어지고 있습니다. 여러분의 나라에서도 마찬가지일 거라고 생각합니다.
그래서 더욱 이 그림 동화를 여러분께 보여 드리고 싶습니다.

글, 그림●안나 마리아 쿠르티(Anna Maria Curti)
■ 1952년 이탈리아에서 태어나다.
■ 토리노 예술 대학을 마치다.
■ 그림 동화 작가.

World Picture Book ⓒ1985 Gakken Co., Ltd. Tokyo.
Korean edition published by Jung-ang Educational Foundation Ltd. by arrangement
through Shin Won Literary Agency Co. Seoul, Korea.

■ 발행인 / 장평순　■ 편집장 / 노동훈
■ 편집 / 박두이, 김옥경, 이향숙, 박선주, 양희숙, 김수열, 강혜숙
■ 제작 / 이해덕, 문상화, 장승철
■ 발행처 / 중앙교육연구원 (주) (서울시 종로구 관철동 258번지)
　　　　　　대표전화 / 735-9600, 등록번호 / 제2-178호
■ 인쇄처 / 갑우문화주식회사 (서울특별시 영등포구 양평동 1가 119번지)
■ 제본 / 태성제책 (주) (서울특별시 구로구 가리봉동 505-13)
■ 1판 1쇄 발행일 / 1988년 12월 30일, 1판 16쇄 발행일 / 1996년 10월 20일
■ ISBN　89-21-40221-7,　ISBN　89-21-00003-8 (세트)